EL PRINCIPITO

Creo que él aprovechó para su fuga una emigración
de pájaros salvajes.

ANTOINE DE SAINT-EXUPÉRY

EL PRINCIPITO

Con las acuarelas del autor

NOTA PRELIMINAR Y TRADUCCIÓN
MARÍA DE LOS ÁNGELES PORRÚA

EditorialPorrúa®

Primera edición: *Le Petit Prince,* París, 1943
Primera edición en la colección "Sepan cuantos...", 1975
Trigésima edición, 2009
Décima primera reimpresión, 2020

Esta edición, la introducción, la nota preliminar
y sus características son propiedad de
EDITORIAL PORRÚA, SA de CV 05
Av. República Argentina 15 altos, col. Centro,
06020, Ciudad de México
www.porrua.com

Queda hecho el depósito que marca la ley

ISBN 978-970-07-7492-3 (Rústica)
ISBN 978-970-07-7493-0 (Tela)

IMPRESO EN MÉXICO
PRINTED IN MEXICO

Nota Preliminar

Antoine de Saint-Exupéry, escritor francés de la época contemporánea, nació el 29 de junio de 1900, en la ciudad francesa de Lyon.

Su infancia la pasó en Saint Maurice-de-Rémens. Después la familia Exupéry se trasladó a Mans, a fines de 1909. Antoine entró en el colegio de Nuestra Señora de la Santa Cruz, y en 1912 se aficionó a la aviación y voló por primera vez en el Aeródromo de Ambérieu con el piloto Védrines.

Más tarde continuó sus estudios en el colegio de Montgré en Villefranche-sur-Saône. Ahí permaneció nada más tres meses, pues marchó a Suiza al colegio de los Marianistas en Friburgo.

Una vez terminado su bachillerato, entró en la escuela Bossuet para presentarse en la Escuela Naval, y trabajó en el Liceo de San Luis. Después pasó a la sección de arquitectura en Bellas Artes. Efectuó su servicio militar en Estrasburgo en el segundo regimiento de aviación de caza, y fue enviado a Casablanca.

A principios de 1923, el general Barés, quiso que entrara en el Ejército del Aire, pero la familia de su novia se opuso, y Saint-Exupéry trabajó en la oficina de las Tullerías de Boiron. Volaba siempre que podía. Estuvo también en la fábrica de automóviles Saurer.

En 1925 escribió una novela corta, El aviador, que se publicó en la revista El navío de plata. Un año más tarde, la Sociedad de Aviación Latécoère, lo contrata.

En 1927 vuela en los correos Toulouse-Casablanca, y después Dakar-Casablanca. Designado para el aeropuerto de Cap-Juby, se queda ahí dieciocho meses, en un Marruecos en plena efervescencia, y escribe su novela Correo del Sur, regresando después a Francia, donde se publicó en 1928.

En Brest siguió el curso superior de navegación aérea de la Marina, obtuvo su diploma y se embarcó para hacer de nuevo el servicio militar en América del Sur.

Un año después escribe Vuelo de noche, *y en 1931 vuelve a París, y se casa con la viuda del publicista Gómez Carrillo, que conoce en Buenos Aires.*

Vuelve al servicio de la Compañía, y se encarga de los correos Francia, América del Sur, en el sector Casablanca-Port-Étienne. Y a fines de ese año publica este segundo libro Vuelo de Noche, *que recibe el premio Fémina. A su regreso a París en 1934, entra en la nueva compañía Air France, como agregado al servicio de propaganda. Cumple importantes misiones en Francia y en el extranjero.*

Termina la estructura de su obra Correo del Sur, *que pone en escena Billon, el año siguiente.*

Va a Moscú para el periódico Paris-Soir, *y el mismo año vuelve a París, y acepta hacer un reportaje para el mismo periódico, sobre el frente de Carabanchel en Madrid.*

Continúa después ocupado en sus labores de piloto y de corresponsal. En 1937 tiene un accidente en Guatemala, sufriendo heridas graves. Vuelve a Nueva York, donde pasa su convalecencia; y de ahí envía a Francia un manuscrito compuesto de numerosos artículos escritos en los años precedentes: Tierra de los Hombres. *Escribe también el Prólogo de* El viento se alza, *de Ana Lindbergh.*

En febrero de 1939, aparece Tierra de los Hombres *y el mismo año se publica en Estados Unidos, bajo el título* Viento, Arena y Estrellas. *Es escogido como el libro del mes, y recibe el gran premio de novela de la Academia Francesa.*

Pasado algún tiempo, recibe el grado de capitán, y reside una temporada en Argelia. Vuelve junto a su hermano en Agay, con intención de trabajar en su libro Ciudadela.

Se instala en Nueva York, y ahí publica Piloto de Guerra, *en inglés (con el título* Vuelo a Arras*). El libro sale en Francia en 1942. (Esta edición fue prohibida en Francia, por las autoridades alemanas de ocupación).*

Siempre en Nueva York, publicó el libro Carta a un Rehén *y más adelante* El principito.

Después de un mal aterrizaje sobre el Valle del Ródano, Saint-Exupéry es llamado por un oficial americano, para comu-

nicarle que ha llegado al límite de edad. Vuelve a Argelia, donde se encierra en un cuarto minúsculo, para estudiar los problemas de los aviones de reacción, y corrige a ratos el manuscrito de Ciudadela. *Y así queda en reserva para hacer vuelos de entrenamiento, con la esperanza de reintegrarse de nuevo, y con esta esperanza va a Nápoles, a ver al comandante en jefe de las Fuerzas Aéreas del Mediterráneo, el general Esker. Éste se esconde, pero Saint-Exupéry lo encuentra en Argelia, y obtiene por fin el regreso, con condición de no hacer más que cinco vuelos en servicio de correo. Vuelve entonces a Cerdeña en 1944. La escuadrilla se traslada al terreno de Borgo, y con algunos incidentes mecánicos hizo ocho vuelos en lugar de los cinco acordados. Sus compañeros se preguntan cómo protegerlo de su propia audacia. No hay que olvidar que esto sucede en plena segunda Guerra Mundial.*

Y en julio de 1944, a las 8:30, Saint-Exupéry sale para la región Grenoble-Annecy en una última misión que obtuvo. A las 13:30, no había regresado; no tenía gasolina más que para una hora. A las 14:30 se tiene la certeza de que ya no vuela más. Es probable que su avión fuera destruido por aviones alemanes de reconocimiento.

En forma tan lamentable terminó la vida de este escritor, que refleja en su obra literaria su vocación por los vuelos aéreos, a la que mezcló su imaginación poética de literato y de hombre de ideales.

Esto lo apreciamos en El Principito, *con sus relatos tan sencillos e infantiles, tan llenos de ternura, con un mensaje de humanidad maravilloso, con un fondo moral tan profundo, que, en medio de su fantasía, conmueve y hasta hace meditar con sus razonamientos, de lógica incontrastable, en las diversas situaciones que describe, en los actos de la vida; dirigiéndose más hacia lo espiritual, que es donde se encuentran los verdaderos valores del hombre. Y es por esto que* El Principito *es universal; constituyendo, sin lugar a duda, una importante aportación a las grandes obras de literatura juvenil de todos los tiempos.*

A LÉON WERTH

Pido perdón a los niños por haber dedicado este libro a una persona mayor. Tengo una excusa importante: esta persona mayor es el mejor amigo que tengo en el mundo. Tengo otra excusa: esta persona mayor puede comprenderlo todo, incluso los libros para niños. Tengo una tercera excusa: esta persona mayor vive en Francia pasando hambre y frío. Tiene mucha necesidad de consuelo. Si todas estas excusas no son suficientes, quiero dedicar este libro al niño que fue alguna vez esta persona mayor. Todas las personas mayores fueron antes niños. (Pero pocas de ellas lo recuerdan.) Corrijo entonces mi dedicatoria:

A LÉON WERTH
CUANDO ERA NIÑO

EL PRINCIPITO

Cuando tenía seis años vi una vez una magnífica estampa en un libro sobre la Selva Virgen, que se llamaba "Historias Vividas". Ésta representaba una serpiente boa que devoraba una fiera. He aquí la copia del dibujo.

Se decía en el libro: "Las serpientes boas devoran su presa entera, sin masticarla; después no pueden moverse y duermen durante los seis meses de su digestión."

Entonces yo reflexioné mucho sobre las aventuras de la jungla y a mi vez pude, con un lápiz de color, trazar mi primer dibujo. Mi dibujo número 1. Era como éste:

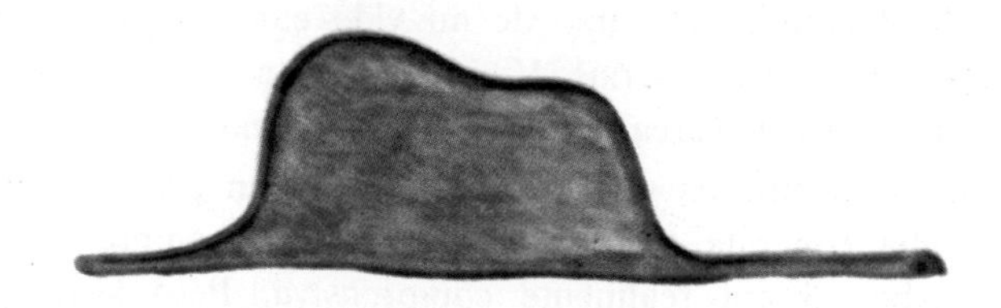

Mostré mi obra maestra a las personas mayores, y les pregunté si mi dibujo les daba miedo.

Me respondieron: "¿Por qué nos va a dar miedo un sombrero?"

Mi dibujo no representaba un sombrero. Representaba una serpiente boa que digería un elefante. Entonces dibujé el interior de la serpiente boa, con el fin de que las personas mayores pudieran comprender. Ellas siempre tienen necesidad de explicaciones. Mi dibujo número 2 era como éste:

Las personas mayores me aconsejaron dejar a un lado los dibujos de serpientes boas, abiertas o cerradas, y que me interesara mejor en la geografía, la historia, el cálculo y la gramática. Es así como abandoné, a la edad de seis años, una magnífica carrera de pintor. Me desilusioné por el fracaso de mi dibujo número 1 y de mi dibujo número 2. Los mayores jamás comprenden nada por sí solos y es cansado para los niños estarles dando explicaciones una y otra vez.

Hube pues de escoger otro oficio, y aprendí a pilotear aviones. Volé un poco por todo el mundo, y es cierto que la geografía me sirvió de mucho. Supe diferenciar, a primera vista, China de Arizona. Esto es muy útil, si uno se encuentra extraviado durante la noche.

Así he tenido en el curso de mi vida cantidad de contactos con cantidad de gentes serias. Viví mucho con personas mayores. Las he visto muy de cerca. Esto no mejoró demasiado mi opinión.

Cuando encontraba una que me parecía un poco lúcida, experimentaba con ella mi primer dibujo, que siempre conservé. Quería saber si era realmente comprensiva. Pero siempre me respondía: "Es un sombrero". Entonces yo no le hablaba ni de serpientes boas ni de selvas vírgenes ni de estrellas. Me ponía a su altura. Le hablaba de bridge, de golf, de política y de corbatas. Y a la persona mayor le daba mucho gusto conocer un hombre tan razonable.

II

Así viví solo, sin nadie con quien hablar verdaderamente hasta que tuve una avería en el desierto del Sahara, hace seis años. Algo se había roto en mi motor. Y como no tenía ni mecánico ni pasajeros conmigo, me dispuse a realizar, solo, una reparación difícil. Era para mí cuestión de vida o muerte. Apenas tenía agua para beber durante ocho días.

La primera noche me quedé dormido sobre la arena, a mil millas de tierra habitada. Estaba mucho más solo que un náufrago sobre una balsa en medio del océano.

Imaginaos, pues, mi sorpresa cuando, al amanecer, una curiosa vocecita me despertó. Decía:

—¡Por favor..., dibújame un borrego!

—¡Eh!

—Dibújame un borrego...

Salté como si hubiera sido alcanzado por un rayo. Me froté los ojos. Miré cuidadosamente. Y vi a un gentil hombrecito, realmente extraordinario, que me observaba gravemente. He aquí el mejor retrato que, más tarde, logré hacer de él. Pero mi dibujo, con toda seguridad, es mucho menos encantador que el modelo. No es mi culpa. Había sido desalentado en mi carrera de pintor, por los mayores, a los seis años de edad, y no había aprendido a dibujar nada, a no ser las boas cerradas y las boas abiertas.

Miré, pues, esta aparición con los ojos redondos de asombro. No olvidéis que me encontraba a mil millas de toda región habitada. Ahora bien, mi gentil hombrecito no me pareció ni extraviado, ni muerto de fatiga, ni muerto de hambre, ni muerto de sed, ni muerto de miedo. No tenía en nada la apariencia de un niño perdido, en medio del desierto, a mil millas de toda región habitada. Cuando al fin pude hablar le dije:

—Pero..., ¿qué es lo que haces ahí?

Me repitió entonces muy dulcemente, como una cosa muy seria:

—Por favor..., dibújame un borrego...

Cuando el misterio es demasiado impresionante no nos atrevemos a desobedecer. Por absurdo que esto me pareciese, a mil

He aquí el mejor retrato que, más tarde, logré hacer de él

millas de todos los lugares habitados, y en peligro de muerte, saqué de mi bolsa una hoja de papel y una estilográfica. Pero entonces me acordé que yo había estudiado sobre todo geografía, historia, cálculo y gramática, y le dije al gentil hombrecito (con un poco de malhumor) que yo no sabía dibujar. Me respondió:

—Es igual. Dibújame un borrego.

Como no había dibujado nunca un borrego, rehíce para él uno de los dos únicos dibujos que yo era capaz de hacer. El de la boa cerrada. Me quedé estupefacto al oír responder al gentil hombrecito:

—¡No! ¡No! Yo no quiero un elefante dentro de una boa. Una boa es muy peligrosa, y un elefante es muy estorboso. Donde yo vivo todo es pequeño. Necesito un borrego. Dibújame un borrego.

Entonces lo dibujé:

Miró con atención, y dijo:

—¡No! Éste está ya muy enfermo. Dibújame otro.

Lo dibujé:

Mi amigo sonrió gentilmente, con indulgencia:

—Ya ves..., éste no es un borrego, es un carnero. Tiene cuernos...

Rehíce de nuevo mi dibujo:

Pero fue rechazado, como los precedentes:

—Éste es muy viejo. Yo quiero un borrego que viva largo tiempo.

Entonces me impacienté. Y como tenía prisa de comenzar a desmontar mi motor, le hice este garabato.

Y exclamé:

—Ésta es la caja. El borrego que tú quieres está adentro.

Me sorprendí mucho al ver iluminarse el semblante de mi joven juez:

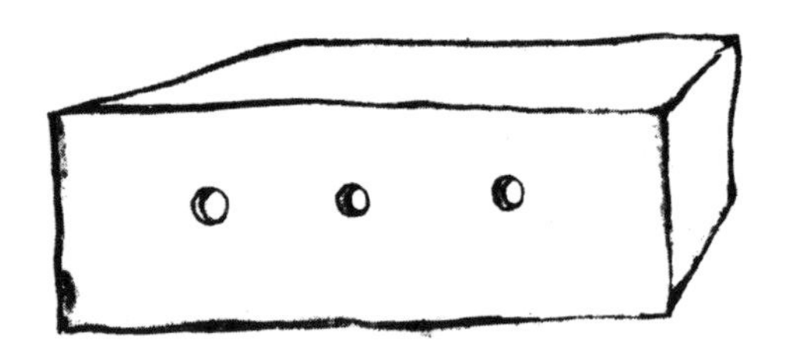

—¡Es exactamente lo que quería! ¿Crees tú que le hará falta mucha hierba a este borrego?

—¿Por qué?

—Porque donde yo vivo todo es pequeño...

—Bastará seguramente. Te he dado un borrego pequeñito.

Inclinó la cabeza hacia el dibujo:

—No es tan pequeño... ¡Caramba! Se ha quedado dormido.

Y así es como conocí al principito.

III

Necesité mucho tiempo para entender de dónde venía. El principito, que me hacía muchas preguntas, nunca parecía entender las mías. Éstas son las palabras pronunciadas al azar que, poco a poco, me revelaron todo. Así, cuando vio por primera vez mi avión (no dibujaré mi avión, es un dibujo demasiado complicado para mí), me preguntó:

—¿Qué es esta cosa?

—No es una cosa; vuela. Es un avión. Es mi avión.

Y estaba orgulloso de hacerle saber que yo volaba.

Entonces exclamó:

—¡Cómo!, ¡tú has caído del cielo!

—Sí —dije modestamente.

—¡Ah, qué divertido!...

Y el principito tuvo una muy hermosa explosión de risa, que me irritó mucho. Deseo que se tomen en serio mis desgracias. Añadió:

—¡Entonces tú también vienes del cielo! ¿De qué planeta eres?

Entreví inmediatamente un destello en el misterio de su presencia, y lo interrogué bruscamente:

—¿Tú vienes, pues, de otro planeta?

Pero no me respondió. Meneó dulcemente la cabeza, mirando al mismo tiempo mi avión:

—Es cierto que con eso tú no puedes venir de muy lejos...

Y se sumergió en un ensueño que duró largo tiempo. Después, sacando mi borrego de su bolsa, quedó absorto en la contemplación de su tesoro.

Imaginaos cómo me había intrigado esta confidencia a medias sobre los "otros planetas". Quise, pues, saber más:

—¿De dónde vienes, mi pequeño hombrecito? ¿Dónde es tu casa?—. Después de un silencio meditabundo me respondió:

—Lo que resulta muy bien, con la caja que tú me diste, es que durante la noche la misma le servirá de casa.

—Naturalmente. Y si eres bueno te daré también una cuerda para atarlo en el día. Y una estaca.

La proposición pareció chocar al pequeño príncipe:

—¿Atarlo? ¡Qué idea tan extraña!

—Pues si no lo atas, se irá quién sabe dónde y se perderá...

Y mi amigo tuvo una nueva explosión de risa:

—Pero, ¡dónde quieres tú que vaya!

—No importa dónde, derecho adelante de él...

Entonces el principito advirtió seriamente:

—Eso no importa; donde yo vivo es tan pequeño...

Y, tal vez con un poco de melancolía, añadió:

—Derecho adelante de uno no se puede ir muy lejos...

IV

De esta manera me había dado cuenta de otro detalle muy importante: ¡Y es que su planeta de origen era apenas más grande que una casa!

El principito sobre el asteroide B 612

Esto no podía asombrarme mucho. Sabía bien que, además de los grandes planetas como la Tierra, Júpiter, Marte, Venus, a los cuales se les han dado nombres, hay cientos de otros que son algunas veces tan pequeños que se tiene mucha dificultad

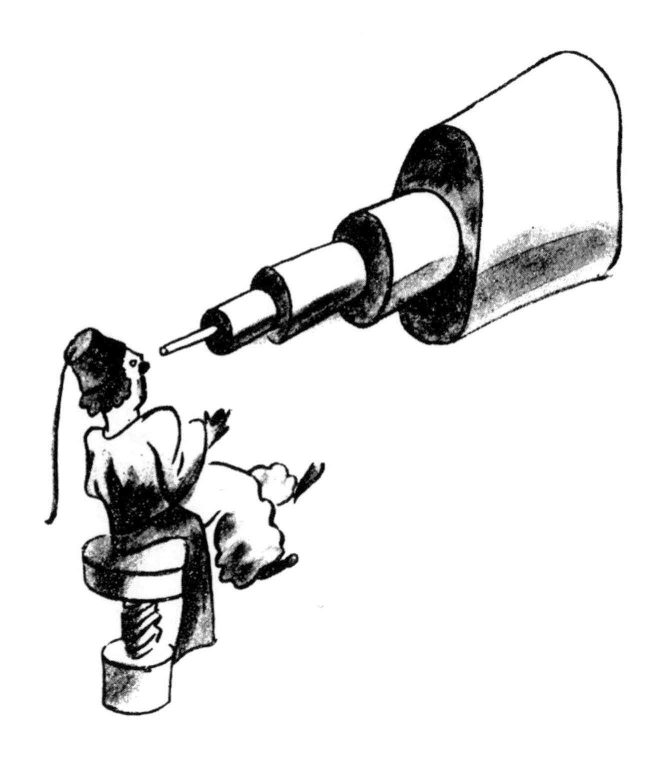

para percibirlos con el telescopio. Cuando un astrónomo descubre uno de ellos, le da por nombre un número. Le llama por ejemplo: "el asteroide 3251".

Tengo serias razones para creer que el planeta de donde venía el principito es el asteroide B 612. Este asteroide no ha sido visto más que una vez con el telescopio, en 1909, por un astrónomo turco. Hizo entonces una gran demostración de su descubrimiento en un Congreso Internacional de Astronomía. Pero nadie le creyó, a causa de su traje. Las personas mayores son así.

Felizmente para la reputación del asteroide B 612, un dictador turco impuso a su pueblo, bajo pena de muerte, vestirse a la europea. El astrónomo rehízo su demostración en 1920, con un traje muy elegante. Y esta vez todo el mundo fue de su parecer. Si os he comentado estos detalles sobre el asteroide B-612, y si os he confiado su número, es a causa de las personas mayores.

Los mayores gustan de las cifras. Cuando se les habla de un nuevo amigo, no os preguntan nunca lo esencial. No os dicen jamás: "¿Cuál es el tono de su voz? ¿Cuáles son sus juegos preferidos? O, ¿es que colecciona mariposas?" Ellos os preguntan: "¿Qué edad tiene? ¿Cuántos hermanos son? ¿Cuánto pesa? ¿Cuánto gana su padre?" Solamente entonces creen conocerlo. Si les dices a las personas mayores: "He visto una bella casa de ladrillos color de rosa, con geranios en las ventanas y palomas en el tejado..." no llegan a imaginarse esta casa. Hace falta decirles: "Vi una casa de cien mil francos." Entonces exclaman: "¡Qué hermoso!"

Así, si les dices: "La prueba de que el principito ha existido es que era encantador, que reía, y que quería un borrego. Cuando se quiere un borrego, es prueba de que se existe", se encogerán de hombros ¡y os tratarán como a un niño! Pero si les dices:

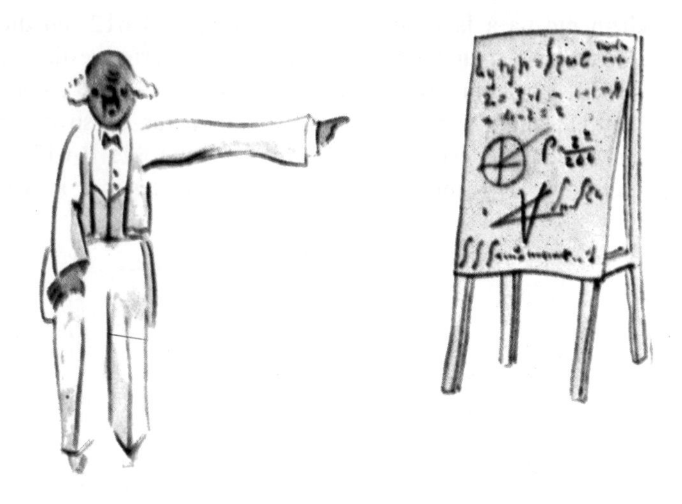

"El planeta de donde venía el principito es el asteroide B 612", se convencerán y os dejarán tranquilo con sus preguntas. Así son. No hay que tomárselos a mal. Los niños deben ser muy indulgentes con las personas mayores.

Seguramente nosotros, que comprendemos la vida, ¡nos burlamos de los números! Me habría gustado comenzar esta historia a la manera de los cuentos de hadas. Me hubiera gustado decir:

"Había una vez un principito que habitaba un planeta apenas más grande que él, y que tenía necesidad de un amigo..." Para los que comprenden la vida, esto hubiera tenido un aire mucho más verdadero.

Pues no me gusta que se lea mi libro a la ligera. Yo paso pena al contar estos recuerdos. Hace ya seis años que mi amigo se fue con su borrego. Si trato aquí de describirlo es con el fin de no olvidarlo. Es triste olvidar a un amigo. No todo el mundo ha tenido un amigo. Y puedo volverme como las personas mayores, que no se interesan más que por los números. Es, pues, por esto, que yo compré una caja de colores y unos lápices. Es duro volver al dibujo a mi edad, cuando uno jamás hizo otras tentativas que la de una boa cerrada y una boa abierta, ¡a los seis años de edad! Trataré ciertamente de hacer retratos, lo más parecidos posible. Pero no tengo la certeza de lograrlo. Un dibujo resulta bien, y el otro no se parece nada. Me equivoco algo también en el tamaño. Aquí el principito está demasiado grande. Allí, demasiado pequeño. Titubeo también sobre el color de su traje. Entonces tanteo en esto y en lo otro. A veces bien y otras mal. Me equivocaré, al cabo, en ciertos detalles más importantes. Pero esto habrá que perdonármelo. Mi amigo no daba nunca explicaciones. Me creyó, tal vez, parecido a él. Pero yo, desgraciadamente, no sé ver los borregos a través de las cajas. Soy, quizá, un poco como las personas mayores. Debí envejecer.

V

Cada día aprendí alguna cosa sobre el planeta, sobre la salida y el viaje. Esto se presentaba muy dulcemente, al azar de las reflexiones. En esta forma, al tercer día, conocí el drama de los baobabs.

Y fue esta vez gracias al borrego, pues bruscamente el principito me interrogó, como asaltado por una grave duda:

—¿Es verdad o no que los borregos comen arbustos?

—Sí, es cierto.

—¡Ah!, me da gusto.

No comprendí por qué era tan importante que los borregos comieran los arbustos. Pero el principito añadió:

—En consecuencia, ¿comen también los baobabs?

Hice notar al principito que los baobabs no son arbustos, sino árboles grandes como iglesias, tanto que si él llevara todo un rebaño de elefantes, este rebaño no acabaría ni con un solo baobab.

La idea del rebaño de elefantes hizo reír al principito.

Habría que ponerlos unos sobre otros...

Pero señaló con sagacidad:

—Los baobabs, antes de crecer, comienzan por ser pequeños.

—Exactamente. Pero, ¿por qué quieres que tus borregos coman los pequeños baobabs?

Me respondió:

"¡Bueno! ¡Veamos!, como si se tratase de una evidencia. Tuve que hacer un gran esfuerzo de inteligencia para comprender por mí mismo este problema.

En efecto, sobre el planeta del principito había, como en todos los planetas, hierbas buenas y hierbas malas. Consecuentemente, semillas de hierbas buenas y semillas de hierbas malas. Pero las semillas son invisibles. Duermen en el secreto de la tierra hasta que se le ocurre a una de ellas despertarse. Entonces se estira y dirige primeramente, con timidez, hacia el sol, una pequeña y encantadora ramita inofensiva. Si se trata de una ramita de rábano, o de rosal, se puede dejar crecer como ella quiera.

Pero si se trata de una planta mala, hace falta arrancarla tan pronto como se haya podido reconocerla. Y había semillas terribles sobre el planeta del principito..., eran las semillas de los baobabs. El suelo del planeta estaba infestado de ellas. Ahora bien, si se tarda demasiado en quitar un baobab, nunca será posible deshacerse de él. Invade todo el planeta y lo perfora con sus raíces. Si el planeta es muy pequeño y los baobabs numerosos, lo hacen explotar.

Éste es un problema de disciplina, me decía más tarde el principito. Cuando se ha terminado el aseo de la mañana, hace falta asear cuidadosamente el planeta. Hay que obligarse regularmente a arrancar los baobabs desde que se les distingue de los rosales, a los cuales se parecen mucho cuando son muy jóvenes. Es un trabajo muy fastidioso, pero muy fácil."

Y un día me aconsejó que tratase de hacer un hermoso dibujo para que les entrara en la cabeza a los niños de donde vivo. Me decía: "si ellos viajan un día, esto podrá servirles. No resulta inconveniente, en ocasiones, dejar para más tarde un trabajo. Pero si se trata de los baobabs, es siempre una catástrofe. Conocí un planeta habitado por un perezoso. Había descuidado tres arbustos..."

Y siguiendo las indicaciones del principito, dibujé este planeta. No me gusta mucho asumir el tono de un moralista. Pero el peligro de los baobabs es tan poco conocido, y los riesgos que correría el que se extraviase en un asteroide son tan grandes, que por una vez hago excepción a mis reservas. Digo: "¡Niños! ¡Cuidado con los baobabs!" Trabajé tanto en este dibujo para advertir a mis amigos del peligro que les rondaba desde hacía largo tiempo, como a mí mismo, sin conocerlo bien. La lección que yo daba, bien valía la pena. Tal vez os preguntéis: ¿Por qué no hay en este libro otros dibujos tan grandiosos como el dibujo de los baobabs? La respuesta es bien sencilla: Traté, pero no pude. Estaba animado por un sentimiento de urgencia cuando dibujé los baobabs.

Los baobabs

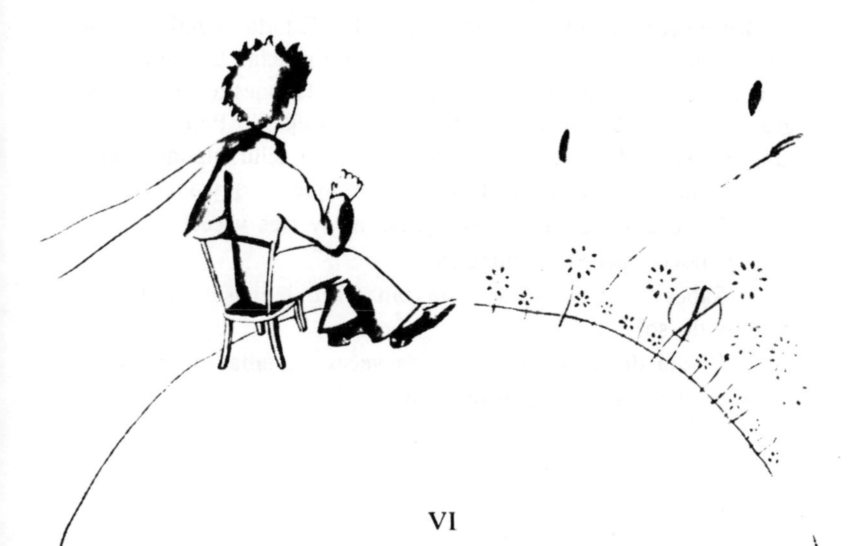

VI

¡Ah!, principito; así comprendí poco a poco tu pequeña vida melancólica. Tú no habías tenido, en mucho tiempo, más distracción que la dulzura de las puestas de sol. Me di cuenta de este nuevo detalle el cuarto día en la mañana, cuando me dijiste:

—Me gustan mucho las puestas de sol. Vamos a ver una puesta de sol...

—Pero hace falta esperar.

—¿Esperar qué?

—Esperar que el sol se ponga.

Parecías estar muy sorprendido al principio, y después te reíste de ti mismo. Y me dijiste:

—¡Creo estar siempre en mi casa!

En efecto, cuando es mediodía en los Estados Unidos, el sol, como todo el mundo sabe, se pone en Francia. Bastaría poder ir a Francia en un minuto para asistir a la puesta de sol. Desgraciadamente Francia está demasiado alejada. Pero sobre tu tan pequeño planeta, te bastaría correr tu silla algunos pasos. Y contemplarías el crepúsculo cada vez que lo desearas...

—Un día vi ponerse el sol ¡cuarenta y tres veces!

Un poco más tarde añadiste:

—Sabes..., cuando se está tan triste le gustan a uno las puestas de sol...

—El día de las cuarenta y tres veces, ¿estabas tú tan triste?

Mas el principito no respondió.

VII

El quinto día, siempre gracias al borrego, ese secreto de la vida del principito me fue revelado. Me preguntó con brusquedad, sin preámbulo, como el fruto de un problema meditado en silencio, largo tiempo:

—Un borrego, si come los arbustos, ¿come también las flores?

—Un borrego come todo lo que encuentra.

—¿Aún las flores que tienen espinas?

—Sí, aun las flores que tienen espinas.

—Entonces, ¿para qué les sirven las espinas?

Yo no lo sabía. Estaba muy ocupado tratando de aflojar un perno demasiado apretado de mi motor. Me sentí muy inquieto porque mi avería empezaba a parecerme muy seria, y el agua para beber, que se agotaba, me hacía temer lo peor.

—Las espinas, ¿para qué sirven?

El principito no desistía nunca de ninguna pregunta una vez que la había expresado. Estaba irritado a causa de mi perno, y respondí cualquier cosa:

—¡Las espinas no sirven para nada, es pura maldad por parte de las flores!

—¡Oh!

Pero después de un silencio, me fustigó con una especie de resentimiento:

—¡No te creo! Las flores son débiles. Son ingenuas. Se dan valor como pueden. Se creen terribles con sus espinas...

No respondí nada. En este instante yo me decía: "Si este perno resiste todavía, lo haré saltar de un martillazo". El principito interrumpió nuevamente mis reflexiones:

—Y crees tú que las flores...

—¡Pero no! ¡Pero no! ¡No creo nada! Respondí cualquier cosa. ¡Yo me ocupo de cosas serias!

Me miró estupefacto.

—¡De cosas serias!

Me veía con mi martillo en la mano y los dedos negros de grasa, inclinado sobre un objeto que le parecía muy feo.

—¡Hablas como las personas mayores!

Sentí un poco de vergüenza, pero, implacable, añadió:

—¡Tú confundes todo!..., ¡mezclas todo!

Estaba realmente muy irritado. El viento sacudía sus cabellos dorados:

—Conozco un planeta donde hay un señor colorado. Nunca olió una flor. Nunca contempló una estrella. Nunca amó a nadie. Nunca hizo otra cosa más que sumas. Y todo el día repetía como tú: "¡Soy un hombre serio! ¡Soy un hombre serio!" Y eso le hacía henchirse de orgullo. Pero éste no es un hombre, ¡es un champiñón!

—¿Un qué?

—¡Un champiñón!

El principito se puso entonces pálido de cólera.

—Hace millones de años que las flores fabrican espinas. Hace millones de años que los borregos, a pesar de ello, comen las flores. ¿Y no es fácil tratar de entender por qué se toman tanto trabajo en fabricar espinas que nunca sirven para nada? ¿No es importante la guerra de los borregos y las flores? ¿No es más serio y más importante que las sumas de un señorón colorado?

Y si yo mismo conozco una flor, única en el mundo, que no existe en ninguna otra parte, salvo en mi planeta, y que un pequeño borrego, una mañana, sin darse cuenta de lo que hace, pueda destruirla de un solo golpe como éste, ¡no es más importante esto!

Se ruborizó, y después replicó:

—Si alguien ama una flor, de la que no existe más que un ejemplar en los millones y millones de estrellas, eso basta para que él sea feliz cuando las mira. Se dice a sí mismo: "Mi flor está allí, en alguna parte..." Pero si el borrego come la flor, es para mí como si bruscamente se apagaran todas las estrellas. ¿Y esto no es importante?

No pudo decir más. Estalló bruscamente en sollozos. Había caído la noche. Había soltado mis herramientas. Me burlaba de mi martillo, de mi perno, de la sed y de la muerte. ¡Había ahí.

sobre una estrella, un planeta, el mío, la Tierra, y un principito a consolar! Lo tomé en los brazos, lo mecí. Le decía: "La flor que tú amas no está en peligro... Le dibujaré un bozal a tu borrego... Te dibujaré una armadura para tu flor... Yo..." Yo no sabía bien qué decirle. Me sentía muy torpe. No sabía cómo acercarme y unirme a él... Es tan misterioso el país de las lágrimas.

VIII

Aprendí rápidamente a conocer mejor esta flor. Había habido siempre, sobre el planeta del principito, flores muy simples, adornadas de una sola fila de pétalos, que no ocupaban lugar, y que no molestaban a nadie. Aparecían una mañana en la hierba, y se extinguían al atardecer. Pero ésta había germinado un día, de una semilla llegada no se sabe de dónde, y el principito había vigilado muy de cerca este brotecillo que no se parecía a los otros brotes. Podía ser un nuevo género de baobab. Pero el arbusto cesó de crecer, y comenzó a echar una flor. El principito,

que asistía a la formación de un botón enorme, se daba cuenta de que de él saldría una aparición milagrosa, pero la flor no acababa nunca de hacerse bastante bella, al abrigo de su cámara verde. Escogía con cuidado sus colores. Se vestía lentamente, y ajustaba uno a uno sus pétalos. No quería salir toda ajada como las amapolas. No quería aparecer más que en pleno esplendor de su belleza. ¡Oh!, sí. ¡Era muy coqueta! Su arreglo misterioso había durado, pues, días y días. Y he aquí que una mañana, justamente a la salida del sol, se mostró.

Y ella, que había trabajado con tanta precisión, dijo bostezando:

—¡Ah!, apenas me despierto... Os pido perdón... Estoy aún toda despeinada...

El principito no pudo contener su admiración:

—¡Qué hermosa eres!

—Así es —respondió dulcemente la flor—. Y nací al mismo tiempo que el sol...

El principito adivinó en seguida que ella no era demasiado modesta, pero, ¡era tan conmovedora!

—Creo que es la hora del desayuno —añadió de pronto—. Si tuvieras la bondad de pensar en mí...

Y el principito, muy confuso, fue a buscar una regadera de agua fresca, y regó la flor.

Así, bien pronto, ella lo atormentó con su vanidad un tanto suspicaz. Un día, por ejemplo, hablando de sus cuatro espinas, le había dicho al principito:

—¡Pueden venir los tigres con sus garras!

—No hay tigres en mi planeta —objetó el principito—, y, además, los tigres no comen hierba.

—Yo no soy una hierba —respondió dulcemente la flor.

—Perdóname...

—No tengo nada de miedo a los tigres, pero sí tengo horror a las corrientes de aire. ¿No tendrías un biombo?

"Horror a las corrientes de aire..., qué suerte de planta —hizo notar el principito—. Esta flor es muy complicada..."

—En la tarde, me pondrás bajo una campana. Hace mucho frío en tu casa. Estás mal instalado. Allá de donde yo vengo...

Pero ella se interrumpió. Había venido bajo la forma de semilla. No había podido conocer otros mundos. Humillada al dejarse sorprender cuando urdía una mentira tan ingenua, tosió dos o tres veces, para echarle la culpa al principito.

—¿El biombo?

—¡Iba a buscarlo pero me estabas hablando!

Entonces forzó su tos, para infligirle al menos remordimientos.

Así, el principito, a pesar de la buena voluntad de su amor, muy pronto dudó de ella. Había tomado en serio palabras sin importancia, y se sintió muy desgraciado.

"No habría debido escucharla, me confió un día; no se debe jamás escuchar a las flores. Basta contemplarlas y olerlas. La mía perfumaba mi planeta, pero no me regocijaba por ello. Esta historia de las garras, que me había fastidiado tanto, hubiera debido enternecerme..."

Me dijo además:

"¡No supe entonces comprender nada! Debería haberla juzgado por las acciones, y no por las palabras. Me perfumaba y me iluminaba. ¡Nunca debí escaparme! Hubiera debido adivinar su ternura detrás de sus pobres astucias. ¡Las flores son tan contradictorias! Pero yo era demasiado joven para saber amarla!"

IX

Creo que él aprovechó para su fuga una emigración de pájaros salvajes. La mañana de su partida, puso en orden su planeta. Con mucho cuidado quitó el hollín a sus volcanes en actividad. Poseía dos volcanes en actividad, lo cual resultaba muy cómodo para calentar el desayuno de la mañana. Poseía también un volcán extinguido. Pero, como decía: "¡Uno nunca sabe!" Luego quitó el hollín también al volcán extinguido. Si a los volcanes se les quita bien el hollín, arden dulce y regularmente, sin erupciones. Las erupciones volcánicas son como fuegos de chimenea. Evidentemente, en nuestra tierra, nosotros somos demasiado pequeños para quitar el hollín de nuestros volcanes. Es por esto que nos causan tantos dolores de cabeza.

El principito arrancó también, con un poco de melancolía, los últimos brotes de los baobabs. Creía que nunca regresaría. Pero todos estos trabajos familiares le parecieron esta mañana dulces en extremo. Y cuando regó por última vez la flor, y se preparó a ponerla bajo el abrigo de su campana, sintió deseos de llorar.

—Adiós —le dijo a la flor.

Pero ella no le respondió.

—Adiós —repitió.

La flor tosió. Mas no a causa de su catarro.

—He sido tonta —le dijo al fin—. Te pido perdón. Trata de ser feliz.

Le sorprendió la ausencia de reproches. Permaneció allí totalmente desconcertado, con la campana en el aire. No comprendía esta dulzura calma.

—Pero sí, yo te quiero —le dijo la flor—. Por mi culpa tú no has sabido nada. Esto no tiene importancia. Has sido tan tonto como yo. Trata de ser feliz... Deja esta campana en paz. Ya no la quiero.

—Pero el viento...

—No estoy tan acatarrada... El aire fresco de la noche me hará bien. Soy una flor.

—Pero los animales...

Quitó cuidadosamente el hollín a sus volcanes en actividad

—Debo soportar dos o tres orugas si quiero conocer las mariposas. ¡Parece que es muy hermoso! De no ser así, ¿quién me visitará? Tú estarás muy lejos. En cuanto a los grandes animales nada temo. Tengo mis garras.

Y mostraba ingenuamente sus cuatro espinas. Después añadió:

—No te arrastres así, es irritante. Has decidido marcharte. Vete.

Ella no quería que la viera llorar. Era una flor tan orgullosa...

X

El principito se encontraba en la región de los asteroides 325, 326, 327, 328, 329 y 330. Comenzó pues a visitarlos para encontrar en ellos una ocupación, y para instruirse.

El primero estaba habitado por un rey. El rey, sentado, vestido de púrpura y armiño, sobre un trono muy sencillo, y sin embargo majestuoso.

—¡Ah! He aquí un súbdito —exclamó el rey cuando vio al principito.

Y el principito se preguntó:

—¡Cómo puede reconocerme si no me ha visto nunca!

No sabía que para los reyes el mundo es muy sencillo. Todos los hombres son súbditos.

—Acércate para que te vea mejor —le dijo el rey, que se sentía muy orgulloso de ser rey de alguien.

El principito buscó con la mirada dónde sentarse, pero el planeta estaba completamente invadido por el magnífico manto de armiño. Se quedó, pues, de pie, y, como estaba cansado, bostezó.

—Es contra la etiqueta bostezar en presencia de un rey —le dijo el monarca—. Te lo prohíbo.

—No puedo evitarlo —respondió el principito muy confuso—. He hecho un largo viaje y no he dormido...

—Entonces —le dijo el rey— te ordeno bostezar. No había visto bostezar a nadie, desde hace años. Los bostezos son para mí una curiosidad. ¡Vamos!, bosteza pues. Es una orden.

—Esto me intimida..., no puedo más... —dijo el principito ruborizándose.

—¡Hum! ¡Hum! —respondió el rey—. Entonces yo..., te ordeno algunas veces bostezar y otras...

Tartamudeaba un poco, y parecía molesto.

Porque el rey trataba, por encima de todo, que su autoridad fuera respetada. No toleraba la desobediencia. Era un monarca absoluto.

Pero como era muy bueno, daba órdenes razonables.

"Si yo ordenara —solía decir—, si yo ordenara a un general convertirse en pájaro de mar, y si el general no obedeciera, no sería culpa del general. Sería mía."

—¿Puedo sentarme? —inquirió tímidamente el principito.

—Te ordeno que te sientes —le respondió el rey, que recogía majestuosamente un pliegue de su manto de armiño.

Pero el principito se asombró. El planeta era minúsculo. ¿Sobre quién, entonces, podría reinar el monarca?

—Majestad —le dijo—... Os pido licencia de interrogaros...

—Te ordeno que me interrogues —se apresuró a decir el rey.

—Majestad... ¿Sobre qué reináis?

—Sobre todo —respondió el rey con gran sencillez.

—¿Sobre todo?

El rey, con un gesto discreto, señaló su planeta, los otros planetas y las estrellas.

—¿Sobre todo eso? —dijo el principito.

—Sobre todo eso... —respondió el rey.

Porque se trataba no solamente de un monarca absoluto, sino de un monarca universal.

—¿Y las estrellas os obedecen?

—Claro que sí —dijo el rey—. Obedecen en seguida. No tolero la indisciplina.

Tal poder maravilló al principito. Si él se hubiera detenido habría podido asistir ¡no a cuarenta y cuatro, sino a setenta y dos, o aun a cien, quizás a doscientas puestas de sol en el mismo día sin tener jamás que correr su silla! Y como se sentía un poco

triste, a causa del recuerdo de su pequeño planeta abandonado, se atrevió a solicitar una gracia del rey:

—Me gustaría ver una puesta de sol... Dadme gusto... Ordenad al sol que se ponga...

—Si yo ordenara a un general volar de una flor a otra, a la manera de una mariposa, o que escribiera una tragedia, o volverse pájaro de mar, y si el general no ejecutara la orden recibida, ¿quién, él o yo, sería culpable?

—Pues seríais vos —dijo con firmeza el principito.

—Exacto. Es preciso exigir a cada uno lo que cada uno puede dar —replicó el rey—. La autoridad descansa ante todo en la razón. Si ordenas a tu pueblo tirarse al mar, hará la revolución. Tengo el derecho de exigir obediencia porque mis órdenes son razonables.

—¿Entonces mi puesta de sol? —recordó el principito, que nunca olvidaba una pregunta una vez que la había expresado.

—Tu puesta de sol la tendrás. La exigiré. Pero esperaré con mi sabiduría de gobierno que las condiciones sean favorables.

—¿Cuándo será esto? —se informó el principito.

—¡Ejem! ¡Ejem! —respondió el rey, que consultó de pronto un gran calendario—. ¡Ejem! ¡Ejem! Eso será hacia..., hacia..., eso será esta tarde, ¡hacia las siete cuarenta! Y tú verás cómo seré obedecido.

El principito bostezó. Lamentó su puesta de sol frustrada. Y además ya empezaba a fastidiarse un poco.

—No tengo nada qué hacer aquí —le dijo al rey—. ¡Voy a partir!

—No te vayas —respondió el rey, que se sentía muy orgulloso de tener un súbdito—. ¡No partas!, ¡te hago ministro!

—¿Ministro de qué?

—De... ¡de justicia!

—¡Pero no hay nadie a quien juzgar!

—No se sabe —le dijo el rey—. Yo todavía no le he dado la vuelta a mi reino. Soy muy viejo, no tengo lugar para una carroza, y me cansa caminar.

—¡Oh! Pero ya lo he visto —dijo el principito, que se inclinaba para echar una ojeada sobre el otro lado del planeta—. No hay nadie allá tampoco...

—Tú te juzgarás, pues, a ti mismo —respondió el rey—. Es lo más difícil. Es más difícil juzgarse a uno mismo que juzgar a otro. Si tú logras juzgarte bien, es que eres un verdadero sabio.

—Yo —dijo el principito— puedo juzgarme a mí mismo, no importa dónde. No tengo necesidad de habitar aquí.

—¡Ejem! ¡Ejem! —dijo el rey—, creo que sobre mi planeta, en alguna parte, hay un viejo ratón. Lo oigo en la noche. Tú podrás juzgar a este viejo ratón. Lo condenarás a muerte de vez en cuando. Así su vida dependerá de tu justicia. Pero lo indultarás todas las veces, para economizarlo, ya que no hay más que uno.

—A mí —respondió el principito— no me gusta condenar a muerte, y creo que ya me voy.

—No —dijo el rey.

Pero el principito, que había terminado sus preparativos, no quiso apenar más al viejo monarca.

—Si Vuestra Majestad deseara ser obedecido puntualmente, me podría dar una orden razonable. Podría ordenarme, por ejemplo, partir antes de un minuto. Me parece que las condiciones son favorables. . .

No habiendo respondido nada el rey, el principito titubeó primeramente, y después, con un suspiro, emprendió la salida.

—Te hago mi embajador —se apresuró entonces a exclamar el rey.

Tenía gran aire de autoridad.

Las personas mayores son bien extrañas, se dijo a sí mismo el principito durante su viaje.

XI

El segundo planeta estaba habitado por un vanidoso.

—¡Ah! ¡Ah! ¡He aquí la visita de un admirador! —exclamó de lejos el vanidoso, cuando vio al principito. Pues para los vanidosos, los otros hombres son admiradores.

—Buenos días —dijo el principito—. Tienes un sombrero extraño.

—Es para saludar —le respondió el vanidoso—. Es para saludar cuando me aclaman. Desgraciadamente no pasa nadie por aquí.

—¿Ah, sí? —dijo el principito, que no comprendió.

—Golpea tus manos una contra la otra —le aconsejó entonces el vanidoso.

El principito golpeó sus manos una contra la otra. El vanidoso saludó humildemente, levantando su sombrero.

—Esto es más divertido que la visita al rey —se dijo para sí el principito. Y volvió a golpear sus manos una contra la otra. El vanidoso saludó de nuevo, levantando su sombrero.

Después de cinco minutos de ejercicio, el principito se cansó de la monotonía del juego, y preguntó:

—¿Qué es preciso hacer para que el sombrero se aquiete?

Pero el vanidoso no lo entendió. Los vanidosos no saben entender más que las alabanzas.

—¿Verdaderamente me admiras mucho? —le preguntó al principito.

—¿Qué significa admirar?

—Admirar significa reconocer que yo soy el hombre más hermoso, el mejor vestido, el más rico y el más inteligente del planeta.

—¡Pero tú estás solo en tu planeta!

—Dame este gusto, ¡admírame, no obstante!

—Te admiro —dijo el principito encogiéndose de hombros—, pero, ¿en qué puede interesarte esto?

Y el principito se fue.

Las personas mayores son decididamente bien raras, dijo sencillamente para sí mismo durante su viaje.

XII

El siguiente planeta estaba habitado por un bebedor. Esta visita fue muy corta pero hizo sumergirse al principito en gran melancolía:

—¿Qué haces tú ahí? —le dijo al bebedor, al que encontró instalado en silencio, ante una colección de botellas vacías y una colección de botellas llenas.

—Bebo —respondió el bebedor, con aire lúgubre.

—¿Por qué bebes? —le preguntó el principito.

—Para olvidar —respondió el bebedor.

—¿Para olvidar qué? —inquirió el principito, que ya le tenía lástima.

—Para olvidar que tengo vergüenza —confesó el bebedor bajando la cabeza.

—¿Vergüenza de qué? —preguntó el principito, que deseaba socorrerlo.

—¡Vergüenza de beber! —terminó el bebedor, que se encerró definitivamente en el silencio.

Y el principito se fue perplejo.

Las personas mayores son decididamente mucho muy raras, se dijo a sí mismo durante el viaje.

XIII

El cuarto planeta era el de un hombre de negocios. Este hombre estaba tan ocupado que ni siquiera levantó la cabeza a la llegada del principito.

—Buenos días —le dijo éste—. Vuestro cigarrillo está apagado.

—Tres y dos son cinco. Cinco y siete, doce. Doce y tres, quince. Buenos días. Quince y siete, veintidós. Veintidós y seis, veintiocho. No tengo tiempo de encenderlo de nuevo. Veintiséis y cinco, treinta y uno. ¡Uf! Esto hace, pues, quinientos un millones seiscientos veintidós mil setecientos treinta y uno.

—¿Quinientos millones de qué?

—¿Eh? ¿Todavía estás ahí? Quinientos un millones de..., ya no lo sé... ¡Tengo tanto trabajo! ¡Yo soy serio, no me divierto con tonterías! Dos y cinco, siete...

—¿Quinientos un millones de qué? —repitió el principito, que en su vida renunciaba a una pregunta, una vez expresada.

El hombre de negocios levantó la cabeza:

—Hace cincuenta y cuatro años que habito en este planeta, y no he sido molestado más que tres veces. La primera vez fue hace veintidós años por un escarabajo, que había caído Dios sabe de dónde. Hacía un ruido espantoso, por ello cometí cuatro errores en una suma. La segunda vez fue hace once años, por una crisis de reumatismo. Me falta ejercicio. No tengo tiempo de vagar. Soy muy serio. La tercera vez. . ., hela aquí. Decía, pues, quinientos un millones. . .

—¿Millones de qué?

El hombre de negocios comprendió que no había esperanza alguna de paz.

—Millones de esas pequeñas cosas que se ven algunas veces en el cielo.

—¿Moscas?

—No, las pequeñas cosas que brillan.

—¿Abejas?

—No. Las pequeñas cosas doradas que adormecen a los holgazanes. ¡Pero yo soy serio! No tengo tiempo de adormecerme.

—¡Ah! ¿Estrellas?

—Eso es. Estrellas.

—¿Y qué haces tú con quinientos millones de estrellas?

—Quinientos un millones seiscientos veintidós mil setecientas treinta y una. Soy serio. Soy exacto.

—¿Y qué haces con estas estrellas?

—¿Que qué hago con ellas?

—Sí.

—Nada. Las poseo.

—¿Tú posees estrellas?

—Sí.

—Pues yo ya he visto un rey que. . .

—Los reyes no poseen, "reinan sobre". Es muy diferente.

—¿Y de qué te sirve poseer estrellas?

—Me sirven para ser rico.

—¿Y para qué te sirve ser rico?

—Para comprar otras estrellas, si alguien las encuentra.

Éste, se dijo a sí mismo el principito, razona un poco como mi borracho.

Sin embargo todavía hizo preguntas.

—¿Cómo se pueden poseer las estrellas?

—¿De quién son? —replicó ásperamente el hombre de negocios.

—Yo no sé. De nadie.

—Entonces son mías, ya que yo lo pensé primero.

—¿Eso basta?

—Seguramente. Cuando encuentras un diamante que no es de nadie, es tuyo. Cuando encuentras una isla que no es de nadie, es tuya. Cuando tú eres el primero en tener una idea, la haces patentar; te pertenece. Yo poseo las estrellas porque nunca nadie, antes que yo, soñó en poseerlas.

—Eso es cierto —dijo el principito—. ¿Y qué haces con ellas?

—Las rijo. Las cuento y las recuento —dijo el hombre de negocios—. Es difícil. ¡Pero soy un hombre serio!

El principito no estaba satisfecho todavía.

—Si yo poseo una mascada puedo ponerla alrededor de mi cuello y llevármela. Si poseo una flor puedo coger mi flor, y llevármela. ¡Pero tú no puedes coger las estrellas!

—No, pero puedo colocarlas en el banco.

—¿Qué quiere decir eso?

—Eso quiere decir que escribo sobre un pequeño papel el número de mis estrellas. Y después encierro bajo llave este papel en un cajón.

—¿Y eso es todo?

—¡Es suficiente!

Es divertido —pensó el principito—. Es bastante poético. Pero no muy serio.

El principito tenía muy diferentes ideas sobre las cosas serias que las de las personas mayores.

—Yo —dijo además— poseo una flor, que riego todos los días. Poseo tres volcanes, que deshollino todas las semanas. Deshollino también el que está apagado. Uno nunca sabe. Esto es útil a mis volcanes y es útil a mi flor, que los posea. Pero tú no eres útil a las estrellas. . .

El hombre de negocios abrió la boca pero no encontró nada que contestar, y el principito se fue.

Las personas mayores decididamente son por completo extraordinarias, se dijo con sencillez el principito, durante su viaje.

XIV

El quinto planeta era muy curioso. Era el más pequeño de todos. Tenía justamente lugar para alojar un farol y al que enciende los faroles. El principito no alcanzaba a explicarse para qué podría servir en alguna parte del cielo, sobre un planeta, sin casa ni gente, un farol y el que enciende los faroles. Sin embargo, se dijo a sí mismo:

—Puede ser que este hombre sea absurdo. Pero tal vez menos absurdo que el rey, que el vanidoso, que el hombre de negocios y que el bebedor. Por lo menos su trabajo tiene sentido. Cuando enciende su farol es como si hiciera nacer una estrella más, o una flor. Cuando lo apaga, duerme la flor o la estrella. Es una bonita ocupación. Realmente es útil porque es bonita.

Cuando llegó al planeta, saludó respetuosamente al farolero.

—Buenos días. ¿Por qué acabas de apagar tu farol?

—Es la consigna —respondió el farolero—. Buenos días.

—¿Qué es la consigna?

—Es apagar mi farol. Buenas noches. Y lo encendió de nuevo.

—¿Pero por qué acabas de encenderlo otra vez?

—Es la consigna —respondió el farolero.

—No comprendo —dijo el principito.

—No hay nada que comprender —dijo el farolero—. La consigna es la consigna. Buenos días.

Y apagó su farol.

Después se secó la frente con un pañuelo de cuadros rojos.

—Desempeño un oficio terrible. Antes era razonable. Apagaba en la mañana y encendía en la noche. Tenía el resto del día para reposar, y el resto de la noche para dormir. . .

—¿Y después de esa época ha cambiado la consigna?

—La consigna no ha cambiado —dijo el farolero—. ¡He ahí el drama! ¡El planeta, de año en año, ha dado vuelta más y más aprisa, y la consigna no cambió!

—¿Entonces? —dijo el principito.

—Pues ahora que da una vuelta por minuto no tengo ni un segundo de descanso. ¡Enciendo y apago una vez por minuto!

—¡Qué raro! ¡Los días en tu casa duran un minuto!

Desempeño un oficio terrible

—No es tan raro —dijo el farolero—. Hace ya un mes que estamos hablando.

—¿Un mes?

—Sí. Treinta minutos. ¡Treinta días! Buenas noches.

Y volvió a encender su farol.

El principito lo miró y sintió que amaba a este farolero que era tan fiel a la consigna. Recordó las puestas de sol, que él mismo iba a buscar alguna vez, corriendo su silla. Quiso ayudar a su amigo:

—Tú sabes... Conozco un medio para que puedas descansar cuando quieras...

—Yo siempre quiero —dijo el farolero.

Pues se puede ser fiel y perezoso a la vez.

El principito prosiguió:

—Tu planeta es tan pequeño que puedes hacer el recorrido en tres zançadas. No tienes más que caminar despacio para quedarte siempre al sol. Cuando quieras descansar, caminarás... y el día durará el tiempo que tú quieras.

—Con eso no adelanto gran cosa —dijo el farolero—. Lo que yo quiero en la vida es dormir.

—No hay modo —dijo el principito.

—No hay modo —dijo el farolero—. Buenos días.

Y apagó su farol.

Éste, se dijo el principito mientras proseguía más lejos su viaje, sería despreciado por todos los otros, por el rey, por el vanidoso, por el bebedor, por el hombre de negocios. Sin embargo, es el único que no me parece ridículo. Tal vez porque se ocupa de otras cosas, y no de sí mismo.

Suspiró con pena y se dijo aún:

—Éste es el único al que hubiera podido hacer mi amigo. Pero su planeta es realmente demasiado pequeño. No hay lugar para dos...

Lo que el principito no se atrevió a confesar es que sentía nostalgia de ese bendito planeta, a causa sobre todo de ¡las mil cuatrocientas puestas de sol, en veinticuatro horas!

XV

El sexto planeta era un planeta diez veces más grande. Estaba habitado por un viejo señor que escribía libros enormes.

—¡Vaya! ¡He aquí un explorador! —exclamó cuando vio al principito.

El principito se sentó sobre la mesa y tomó aliento. ¡Había ya viajado tanto!

—¿De dónde vienes tú? —le dijo el viejo señor.

—¿De qué trata ese libro tan gordo? —dijo el principito—. ¿Qué haces tú aquí?

—Soy geógrafo —dijo el viejo señor.

—¿Qué es un geógrafo?

—Es un sabio que conoce dónde se encuentran los mares, los ríos, las ciudades, las montañas y los desiertos.

—Eso es muy interesante —dijo el principito—. ¡Éste sí que es un verdadero oficio! Y echó una mirada a su alrededor, al planeta del geógrafo. Nunca había visto un planeta tan majestuoso.

—Es muy bello vuestro planeta. ¿Tiene océanos?

—No puedo saberlo —dijo el geógrafo.

—¡Ah! (El principito estaba decepcionado.) ¿Y montañas?

—No puedo saberlo —dijo el geógrafo.

—¿Y ciudades, ríos y desiertos?

—Tampoco puedo saberlo —dijo el geógrafo.

—¡Pero tú eres geógrafo!

—Exacto —dijo el geógrafo—, pero no soy explorador. Carezco totalmente de exploradores. No es el geógrafo el que va a hacer cuentas de ciudades, ríos, montañas, mares, océanos y desiertos. El geógrafo es demasiado importante para vagar. No abandona su escritorio. Pero recibe ahí a los exploradores. Los interroga y toma nota de sus recuerdos. Y si los recuerdos de alguno de ellos le parecen interesantes, el geógrafo manda hacer una investigación sobre la moralidad del explorador.

—¿Y eso por qué?

—Porque un explorador que mintiese ocasionaría catástrofes en los libros de geografía. Y también un explorador que bebiese demasiado.

—¿Y eso por qué? —dijo el principito.

—Porque los borrachos ven doble. Entonces el geógrafo anotaría dos montañas ahí donde no hay más que una sola.

—Conozco a alguien —dijo el principito— que sería mal explorador.

—Es posible. Cuando la moralidad del explorador parece buena, se hace una investigación sobre su descubrimiento.

—¿Se va a ver?

—No. Eso es demasiado complicado. Pero se exige al explorador que proporcione pruebas. Si se trata, por ejemplo, del descubrimiento de una gran montaña, se le exige que lleve piedras grandes.

El geógrafo enmudeció de repente.

—Pero tú, ¡tú vienes de lejos! ¡Eres explorador! ¡Me vas a describir tu planeta!

Y el geógrafo, habiendo abierto su registro, sacó punta a su lápiz. Se anotan primeramente con lápiz los relatos de los exploradores. Se espera para anotarlos con tinta a que el explorador haya proporcionado las pruebas.

—¿Entonces? —interrogó el geógrafo.

—¡Oh! Mi país —dijo el principito— no es muy interesante, es todo muy pequeño. Tengo tres volcanes. Dos volcanes en actividad, y un volcán apagado. Pero uno nunca sabe.

—Uno nunca sabe —dijo el geógrafo.

—Tengo también una flor.

—No tomamos nota de las flores —dijo el geógrafo.

—¿Y eso por qué? ¡Es lo más bonito!

—Porque las flores son efímeras.

—¿Qué significa "efímero"?

—Las geografías —dijo el geógrafo— son los libros más preciosos de todos los libros. No pasan de moda nunca. Es muy raro que una montaña cambie de lugar. Es muy raro que un océano se vacíe de su agua. Nosotros escribimos cosas eternas.

—Pero los volcanes apagados pueden despertarse —interrumpió el principito—. ¿Qué significa "efímero"?

—Que los volcanes estén apagados o estén activos viene a ser lo mismo para nosotros —dijo el geógrafo—. Lo que cuenta para nosotros es la montaña. No cambia.

—¿Pero qué significa "efímero"? —repitió el principito que en su vida había renunciado a una pregunta, una vez hecha.

—Eso significa "que está amenazada de desaparición próxima".

—¿Mi flor está amenazada de desaparición próxima?

—Seguramente.

—¡Mi flor es efímera —se dijo el principito—, y no tiene más que cuatro espinas para defenderse contra el mundo! ¡Y la he dejado del todo sola en casa!

Ése fue su primer sentimiento de pena. Pero recobró el ánimo.

—¿Qué me aconsejáis visitar? —preguntó.

—El planeta Tierra —le respondió el geógrafo—. Tiene buena reputación...

Y el principito se fue, soñando en su flor.

XVI

El séptimo planeta fue, pues, la Tierra.

¡La Tierra no es un planeta cualquiera! Se cuentan allí ciento once reyes (sin olvidar por supuesto los reyes negros), siete mil geógrafos, novecientos mil hombres de negocios, siete millones y medio de borrachos, trescientos once millones de vanidosos, es decir, alrededor de dos mil millones de personas mayores.

Para daros una idea de las dimensiones de la Tierra, os diré que antes de que se inventara la electricidad se debía mantener, sobre el conjunto de los seis continentes, un verdadero ejército de cuatrocientos sesenta y dos mil quinientos once encendedores de faroles.

Visto de no muy lejos esto hacía un efecto espléndido. Los movimientos de este ejército estaban regulados como los de un ballet de ópera. Primeramente tocaba el turno a los que encienden los faroles de Nueva Zelanda y de Australia. Después éstos, habiendo encendido sus faroles, se iban a dormir. Entonces entraban a su vez en la danza los encendedores de faroles de China y de Siberia. Después éstos también se escamoteaban tras bambalinas. Seguía el turno de los encendedores de faroles de Rusia y de la India. Después los de África y Europa. Después los de América del Sur. Después los de América del Norte. Y nunca se equivocaban en su orden de entrar en escena. Era grandioso.

Solamente el farolero del único farol del Polo Norte y su compañero del único farol del Polo Sur llevaban una vida de ociosidad e indolencia: trabajaban dos veces al año.

XVII

Cuando se quiere hacer uso del ingenio, sucede que se miente un poco. No he sido muy honrado al hablaros de los encendedores de faroles. Corro el riesgo de dar una idea falsa de nuestro planeta a los que no lo conocen. Los hombres ocupan muy poco lugar sobre la tierra. Si los dos mil millones de habitantes que pueblan la tierra se pusieran de pie y un poco apretados, como para un mitin, cabrían holgadamente en una plaza pública de veinte millas de largo por veinte millas de ancho. Se podría amontonar a la humanidad sobre el menor islote del Pacífico.

Las personas mayores seguramente no os creerán. Se imaginan que ocupan mucho lugar. Se consideran importantes como los baobabs. Les aconsejaréis, pues, hacer el cálculo. Adoran los números; eso les gustará. Pero no perdáis el tiempo trabajando más de la cuenta. Es inútil. Tened confianza en mí.

El principito, una vez sobre la tierra, se sorprendió de no ver a nadie. Y ya tenía miedo de haberse equivocado de planeta cuando un anillo color de luna se movió en la arena.

—Buenas noches —dijo el principito por si acaso.

—Buenas noches —dijo la serpiente.

—¿Sobre qué planeta he caído? —preguntó el principito.

—Sobre la Tierra, en África —respondió la serpiente.

—¡Ah!... ¿Y no hay nadie sobre la Tierra?

—Aquí es el desierto. No hay nadie en los desiertos. La Tierra es grande —dijo la serpiente.

El principito se sentó sobre una piedra y levantó los ojos al cielo.

—Yo me pregunto —dijo— si las estrellas están iluminadas con el fin de que cada uno pueda encontrar un día la suya. Mira mi planeta. Está justo arriba de nosotros... ¡Pero qué lejos se encuentra!

—Es bello —dijo la serpiente—. ¿Qué vienes a hacer aquí?

—Tengo dificultades con una flor —dijo el principito.

—¡Ah! —dijo la serpiente.

Y ambos callaron.

—¿Dónde están los hombres? —replicó al fin el principito— Se siente uno un poco solo en el desierto...

—También se está solo entre los hombres —dijo la serpiente.

El principito la miró largo tiempo.

—Eres un extraño animal —le dijo al fin—; delgado como un dedo...

—Pero yo soy más poderosa que el dedo de un rey —dijo la serpiente.

El principito sonrió:

—No eres tan poderosa...; no tienes ni patas... No puedes tampoco viajar...

—Puedo llevarte más lejos que un navío —dijo la serpiente.

Y se enroscó alrededor del tobillo del principito, como un brazalete de oro:

—A quien toco, lo devuelvo a la tierra de donde salió —añadió—. Pero tú eres puro, y tú vienes de una estrella...

El principito nada respondió.

—Me das lástima, tú, tan débil, sobre esta Tierra de granito. Puedo ayudarte un día si extrañas demasiado a tu planeta. Yo puedo...

—Eres un extraño animal —le dijo al fin—; delgado como un dedo...

—¡Oh! He comprendido muy bien —dijo el principito—. Pero, ¿por qué hablas siempre por enigmas?

—Los resuelvo todos —dijo la serpiente.

Y ambos callaron.

XVIII

El principito atravesó el desierto y no encontró más que una flor. Una flor de tres pétalos, una flor insignificante.

—Buenos días —dijo el principito.

—Buenos días —dijo la flor.

—¿Dónde están los hombres? —pregunto cortésmente el principito.

Un día la flor había visto pasar una caravana:

—¿Los hombres? Existen, creo yo, seis o siete. Los vi hace años. Pero no se sabe nunca dónde encontrarlos. El viento los pasea. No tienen raíces, esto les molesta mucho.

—Adiós —dijo el principito.

—Adiós —dijo la flor.

XIX

El principito subió a una alta montaña. Las únicas montañas que él había conocido eran los tres volcanes que le llegaban a la rodilla. Y hacía uso del volcán apagado como de un taburete. "De una montaña alta como ésta —se dijo entonces— vería de golpe todo el planeta y todos los hombres..." Pero no vio nada más que las agujas de las rocas muy afiladas.

—Buenos días —dijo por si acaso.

—Buenos días... Buenos días... Buenos días... —respondió el eco.

—¿Quién sois? —dijo el principito.

—¿Quién sois?... ¿Quien sois?... ¿Quién sois?... —respondió el eco.

—Sed mis amigos, yo estoy solo —le dijo.

—Yo estoy solo... Yo estoy solo... Yo estoy solo... —respondió el eco.

"¡Qué extraño planeta! —pensó entonces—. Está todo seco, todo puntiagudo y todo salado. Y los hombres carecen de imaginación. Repiten lo que se les dice... En mi país yo tenía una flor: ella hablaba siempre la primera..."

XX

Pero aconteció que el principito, habiendo caminado largo tiempo a través de las arenas, las rocas y las nieves, descubrió al fin un camino. Y los caminos todos van hacia los hombres.

—Buenos días —dijo.

Era un jardín florido, de rosas.

—Buenos días —dijeron las rosas.

El principito las miró, todas se parecían a su flor.

—¿Quiénes sois? —les preguntó estupefacto.

—Somos rosas —dijeron las rosas.

—¡Ah! —dijo el principito.

Y se sintió muy desgraciado. Su flor le había contado que era la única de su especie en el Universo, ¡y he aquí que había cinco mil, todas parecidas, en un solo jardín!

Este planeta está todo seco, todo puntiagudo y todo salado

"Estaría bien humillada —se dijo— si viera esto. . .; tosería fuertemente y fingiría morir para escapar del ridículo, y me vería obligado a simular que la cuidaba, porque si no, para humillarme también a mí, se dejaría en verdad morir. . ."

Después aún se dijo: "Me consideraba rico, con una flor única, y no poseo más que una rosa ordinaria. Ésta, y mis tres volcanes, que me llegan a la rodilla y de los cuales uno tal vez está apagado para siempre, no hacen de mí un gran príncipe. . ." Y acostado en la hierba, lloró.

XXI

Entonces apareció el zorro.

—Buenos días —dijo el zorro.

—Buenos días —respondió cortésmente el principito, que se volvió pero no vio nada.

—Estoy aquí —dijo la voz—; bajo el manzano. . .

—¿Quién eres tú? —dijo el principito—. Eres muy bonito. . .

—Soy un zorro —dijo el zorro.

—Ven a jugar conmigo —le propuso el principito—. Estoy tan triste. . .

Y acostado en la hierba, lloró

—No puedo jugar contigo —dijo el zorro—. No estoy domesticado.

—¡Ah!, perdón —exclamó el principito.

Pero después de reflexionar añadió:

—¿Qué significa "domesticar"?

—Tú no eres de aquí —dijo el zorro—, ¿qué es lo que buscas?

—Busco a los hombres —dijo el principito—. ¿Qué significa "domesticar"?

—Los hombres —dijo el zorro— tienen fusiles y cazan. ¡Es bien molesto! Crían también gallinas. Es su único interés. ¿Tú buscas gallinas?

—No —dijo el principito—. Yo busco amigos. ¿Qué significa "domesticar"?

—Es una cosa demasiado olvidada —dijo el zorro—. Eso significa "crear lazos".

—¿Crear lazos?

—Seguramente —dijo el zorro—. Tú todavía no eres para mí más que un niño parecido a cien mil niños. Y yo no tengo necesidad de ti. Y tú tampoco tienes necesidad de mí. Para ti no soy más que un zorro parecido a cien mil zorros. Pero si tú me domesticas, entonces tendremos necesidad uno del otro. Serás para mí único en el mundo. Y yo seré para ti único en el mundo...

—Comienzo a comprender —dijo el principito—. Hay una flor..., creo que ella me ha domesticado...

—Es posible —dijo el zorro—. Sobre la Tierra se ven toda serie de cosas...

—¡Oh!, no es sobre la Tierra —dijo el principito.

El zorro se mostró muy intrigado:

—¿Sobre otro planeta?

—Sí.

—¿Hay cazadores ahí sobre ese planeta?

—No.

—¡Eso es interesante! ¿Y gallinas?

—No.

—Nada es perfecto —suspiró el zorro.

Pero el zorro volvió a su idea:

—Mi vida es monótona. Cazo gallinas y los hombres me cazan. Todas las gallinas se parecen y todos los hombres se parecen. Me fastidio, pues, un poco. Pero si tú me domesticaras, mi vida estaría llena de sol. Conoceré un ruido de pasos que será diferente de todos los otros. Los otros pasos me hacen meter bajo tierra. El tuyo me llamará fuera de la cueva, como una música. ¡Y después, mira! ¿Ves allá abajo los campos de trigo? Yo no como pan. El trigo, para mí, es inútil. Los campos de trigo no me recuerdan nada. ¡Y eso es triste! Pero tú tienes los cabellos color de oro. Entonces será maravilloso cuando tú me hayas domesticado. El trigo, que es dorado, hará que te recuerde. Y amaré el ruido del viento en el trigo...

El zorro se calló, y miró largo rato al principito:

—¡Si quieres, domestícame! —dijo.

—Sí quiero —respondió el principito—, pero no tengo mucho tiempo. Tengo amigos que descubrir y muchas cosas que conocer.

—No se conocen más que las cosas que se domestican —dijo el zorro—. Los hombres ya no tienen tiempo de conocer nada. Compran las cosas hechas a los mercaderes. Pero como no existen vendedores de amigos, los hombres no tienen amigos. ¡Si tú quieres un amigo, domestícame!

—¿Qué es lo que hay que hacer? —dijo el principito.

—Hace falta ser muy paciente —respondió el zorro—. Te sentarás primero un poco lejos de mí, de esta manera, en la hierba. Yo te miraré con el rabillo del ojo y tú no dirás nada. El lenguaje es fuente de malentendidos. Pero cada día podrás sentarte un poco más cerca...

Al día siguiente volvió el principito.

—Hubiera sido mejor volver a la misma hora —dijo el zorro—. Si tú vienes, por ejemplo, a las cuatro de la tarde, desde las tres empezaré a ser feliz. A medida que la hora se acerque me sentiré feliz. A las cuatro ya me agitaré y me inquietaré: ¡descubriré el precio de la felicidad! Pero si tú vienes no importa cuándo no sabré nunca a qué hora vestir el corazón... Hacen falta los ritos.

—¿Qué es un rito? —dijo el principito.

—Es también una cosa demasiado olvidada —dijo el zorro—. Es lo que hace que un día sea diferente de los otros días, una hora de las otras horas. Hay un rito, por ejemplo, en mis cazadores. Bailan el jueves con las chicas de la villa. ¡Entonces el jueves es un día maravilloso! Voy a pasearme hasta la viña. Si los cazadores bailaran no importa cuándo, los días se parecerían todos y no tendría vacaciones.

Así, el principito domesticó al zorro. Y cuando se aproximó la hora de la partida:

—¡Ah! —dijo el zorro—; ...lloraré.

Si tú vienes, por ejemplo, a las cuatro de la tarde, desde las tres empezaré a ser feliz

—Es tu culpa —dijo el principito—; yo no te deseaba ningún mal, pero tú has querido que te domestique...

—Seguramente —dijo el zorro.

—¡Pero vas a llorar! —dijo el principito.

—Seguramente —dijo el zorro.

—¡Entonces tú no ganaste nada con ello!

—Gano con ello —dijo el zorro— a causa del color del trigo.

Después añadió:

—Vuelve a ver las rosas. Comprenderás que la tuya es única en el mundo. Volverás a decirme adiós, y te regalaré un secreto.

El principito fue de nuevo a ver las rosas:

—Vosotras no sois nada parecidas a mi rosa, no sois nada aún —les dijo—. Nadie os ha domesticado, y vosotras no habéis domesticado a nadie. Sois como era mi zorro. Él no era más que un zorro parecido a otros cien mil. Pero yo lo he hecho mi amigo, y él es ahora único en el mundo.

Y las rosas estaban bien molestas.

—Sois bellas, pero estáis vacías —les dijo todavía—. No se puede morir por vosotras. Con seguridad cualquiera que pasara creería que mi rosa se parece a vosotras. Pero ella sola es más importante que todas vosotras, porque es a la que he regado. Porque es a la que he puesto bajo una campana. Porque es a ella a la que he abrigado con el biombo. Es para ella que yo maté las orugas (excepto dos o tres para las mariposas). Porque es a ella a quien yo escuché quejarse, o envanecerse, o también, a veces, callarse. Porque ésta es mi rosa.

Y se volvió hacia el zorro:

—Adiós —le dijo.

—Adiós —dijo el zorro—. He aquí mi secreto. Es muy sencillo: Sólo se ve con el corazón. Lo esencial es invisible para los ojos.

—Lo esencial es invisible para los ojos —repitió el principito, con el fin de acordarse.

—Es el tiempo que has perdido con tu rosa lo que hace a tu rosa tan importante.

—Es el tiempo que he perdido con mi rosa... —dijo el principito con el fin de acordarse.

—Los hombres han olvidado esta verdad —dijo el zorro—. Pero tú no debes olvidarla. Te haces responsable para siempre de lo que has domesticado. Eres responsable de tu rosa...

—Soy responsable de mi rosa... —repitió el principito, a fin de acordarse.

XXII

—Buenos días —dijo el principito.

—Buenos días —dijo el guardagujas.

—¿Qué haces tú aquí? —dijo el principito.

—Separo a los pasajeros en paquetes de mil —dijo el guardagujas—. Doy salida a los trenes que los llevan, bien hacia la derecha, bien hacia la izquierda.

Y un tren rápido iluminado, rugiendo como el trueno, hizo temblar la caseta del guardagujas.

—¡Qué prisa tienen! —dijo el principito—. ¿Qué es lo que buscan?

—Aun el hombre de la locomotora lo ignora —dijo el guardagujas.

Y rugió, en sentido contrario, un segundo tren rápido iluminado.

—¿Ya vuelven? —preguntó el principito...

—No son los mismos —dijo el guardagujas—. Es un cambio.

—¿No estaban contentos ahí donde se encontraban?

—Nunca se encuentra uno contento donde está —dijo el guardagujas.

Y rugió el trueno de un tercer tren rápido iluminado.

—¿Persiguen a los primeros viajeros? —preguntó el principito.

—No persiguen nada —dijo el guardagujas—. Duermen en el interior o bien bostezan. Solamente los niños aplastan su nariz contra los vidrios.

—Sólo los niños saben lo que buscan —dijo el principito—. Pierden su tiempo con una muñeca de trapo, y ésta llega a ser muy importante, y si se las quitan, lloran...

—Tienen suerte —dijo el guardagujas.

XXIII

—Buenos días —dijo el principito.

—Buenos días —dijo el mercader.

Era un mercader de píldoras perfeccionadas, que calmaban la sed. Se traga una a la semana y no se siente necesidad de beber.

—¿Por qué vendes eso? —dijo el principito.

—Es una gran economía de tiempo —dijo el mercader—. Los expertos han hecho cálculos. Se ahorran cincuenta y tres minutos a la semana.

—¿Y qué es lo que se hace de esos cincuentas y tres minutos?

—Se hace lo que se quiere...

"Yo, se dijo el principito, si tuviera cincuenta y tres minutos para gastar, caminaría muy despacito hacia una fuente..."

XXIV

Nos encontramos en el octavo día de mi avería en el desierto, y yo había escuchado la historia del mercader, bebiendo la última gota de mi provisión de agua:

—¡Ah! —le dijo al principito—; qué bonitos son tus recuerdos, pero todavía no reparé mi avión, no tengo nada que beber, y sería muy feliz yo también si pudiera caminar muy despacito hacia una fuente.

—Mi amigo el zorro me dijo...

—¡Mi hombrecito, no se trata ya del zorro!

—¿Por qué?

—Porque vamos a morir de sed...

No comprendió mi razonamiento; me respondió:

—Es bueno haber tenido un amigo, aun cuando uno va a morir. En cuanto a mí, estoy muy contento de haber tenido un amigo zorro...

No mide el peligro —me dije—. Nunca tiene hambre ni sed. Un poco de sol le basta...

Pero me miró y respondió a lo que yo pensaba:

—Yo también tengo sed...; busquemos un pozo... —Tuve un gesto de desaliento: es absurdo buscar un pozo al azar, en la inmensidad del desierto. Sin embargo, nos pusimos en marcha.

Cuando hubimos caminado, por horas, en silencio, cayó la noche, y las estrellas empezaron a iluminarse. Las miré como en un sueño, ya con un poco de fiebre, a causa de mi sed. Las palabras del principito bailaban en mi memoria:

—¿Tú también tienes sed? —le pregunté.

Pero él no respondió a mi pregunta. Me dijo sencillamente:

—El agua puede ser también buena para el corazón...

No comprendí su respuesta pero me callé... Sabía bien que no hacía falta interrogarle.

Él estaba cansado. Se sentó. Yo me senté cerca de él. Y después de un silencio añadió:

—Las estrellas son bellas a causa de una flor que no se ve...

Respondí "seguramente", y miré sin hablar los rizos de la arena, bajo la luna.

—El desierto es hermoso —añadió.

Y era verdad. Yo siempre amé el desierto. Uno se sienta sobre una duna de arena. No se ve nada. No se oye nada. Y sin embargo alguna cosa resplandece en silencio...

—Lo que embellece al desierto —dijo el principito— es que esconde un pozo en alguna parte...

Me sorprendí al comprender de repente ese misterioso resplandor de la arena. Cuando yo era niño vivía en una casa antigua, y contaba la leyenda que había un tesoro escondido en ella. A buen seguro que nadie supo descubrirlo, y puede ser que ni siquiera lo hayan buscado. Pero encantaba toda esta casa. Mi casa escondía un secreto en el fondo de su corazón...

—Sí —le dije al principito—; que se trate de la casa, de las estrellas o del desierto, lo que los hace bellos es invisible.

—Estoy contento —dijo— de que estés de acuerdo con mi zorro.

Como el principito se dormía lo tomé en mis brazos, y volví a ponerme en camino. Estaba emocionado. Me parecía llevar un tesoro frágil. Y aun me parecía que no había nada más frágil sobre la Tierra. Contemplaba, a la luz de la luna, esta frente pálida, estos ojos cerrados, estos mechones de cabellos que se agitaban al viento, y me decía: lo que yo veo ahí no es más que una apariencia; lo más importante es invisible...

Como sus labios entreabiertos bosquejaban una media sonrisa, me dije todavía: "Lo que tanto me emociona de este principito dormido es su fidelidad a una flor, es la imagen de una rosa que resplandece en él, como la llama de una lámpara, aun cuando duerme..." Y lo adiviné más frágil todavía. Es preciso proteger bien las lámparas: un golpe de viento puede apagarlas...

Y caminando así, descubrí el pozo al amanecer.

XXV

—Los hombres —dijo el principito— se meten a ese horno de los trenes rápidos, pero no saben lo que buscan. Entonces se agitan y giran en redondo...

Y añadió:

—Eso no vale la pena...

El pozo al que llegamos no se parecía a los pozos saharianos. Los pozos saharianos son simples agujeros abiertos en la arena. Éste parecía un pozo de aldea. Pero no había ninguna aldea aquí, y yo creía soñar.

—Es extraño —le dije al principito—; todo está listo: la polea, el cubo y la cuerda...

Se rió, tomó la cuerda e hizo trabajar la polea. Y la polea gimió, como gime una vieja veleta cuando el viento se ha dormido por mucho tiempo.

—¿Ya oyes? —dijo el principito—; hemos despertado a este pozo, y canta...

No quería que él hiciera un esfuerzo:

—Déjame a mí hacerlo —le dije—; es demasiado pesado para ti.

Lentamente subí el cubo hasta el brocal. Lo instalé bien a plomo. En mis oídos duraba el canto de la polea, y en el agua, que aún temblaba, veía temblar el sol.

—Tengo sed de esta agua —dijo el principito—; dame de beber...

¡Y comprendí lo que él había buscado!

Llevé el cubo hasta sus labios. Bebió, los ojos cerrados. Era dulce como una fiesta. Esta agua era algo muy distinto al alimento. Había nacido de la marcha bajo las estrellas, del canto de la polea, del esfuerzo de mis brazos. Era buena para el corazón, como un regalo. Cuando yo era niño, la luz del árbol de Navidad, la música de la misa de medianoche, la dulzura de las sonrisas, hacían, así, todo el resplandor del regalo de Navidad que yo recibía.

—Los hombres de donde tú eres —dijo el principito— cultivan cinco mil rosas en un mismo jardín..., y no encuentran lo que buscan...

—No lo encuentran —le respondí.

—Y sin embargo lo que buscan podría encontrarse en una sola rosa, o en un poco de agua...

—Seguramente —le respondí.

Y el principito añadió:

—Pero los ojos son ciegos. Hace falta buscar con el corazón.

Yo había bebido. Respiraba bien. La arena al amanecer es color de miel. Estaba feliz también por este color de miel. Por qué había de tener pena...

—Hace falta que cumplas tu promesa —me dijo dulcemente el principito, que de nuevo se había sentado cerca de mí.

—¿Cuál promesa?

—Tú sabes..., un bozal para mi borrego...; ¡yo soy responsable de esta flor!

Saqué de mi bolsa mis bosquejos del dibujo. El principito los vio y dijo riéndose:

—Tus baobabs se parecen un poco a las coles...

—¡Oh!

¡Yo que me sentía tan orgulloso de los baobabs!

—¡Tu zorro..., sus orejas... parecen un poco cuernos..., son demasiado largas!

Y se rió de nuevo.

—Eres injusto, hombrecito; yo no sabía dibujar nada más que las boas cerradas y las boas abiertas.

—¡Oh!, eso bastará —dijo—. Los niños saben.

A punta de lápiz dibujé entonces un bozal. Y tenía el corazón oprimido al dárselo:

—Tú tienes proyectos que ignoro...

Pero no me respondió. Me dijo:

—Tú sabes, mi caída sobre la Tierra...; mañana será el aniversario...

Después de un silencio me dijo además:

—Caí muy cerca de aquí...

Y se ruborizó.

De nuevo, sin saber por qué, sentí una pena extraña. Sin embargo se me ocurrió una pregunta:

—¡Entonces no es por azar que la mañana en que te conocí, hace ocho días, te paseabas así, solo, a mil millas de toda región habitada! ¿Regresaste hacia el punto de tu caída?

El principito se ruborizó de nuevo.

Y añadí titubeando:

—¿A causa tal vez del aniversario?

Se rió, tomó la cuerda e hizo trabajar la polea

El principito se ruborizó nuevamente. No contestaba nunca a las preguntas, pero cuando uno se ruboriza, eso significa "sí", ¿no es cierto?

—¡Ah! —le dije—; tengo miedo...

Pero me respondió:

—Tú debes trabajar ahora. Debes regresar a tu máquina. Yo te espero aquí. Vuelve mañana en la tarde...

Pero yo no estaba tranquilo. Me acordaba del zorro. Se corre el riesgo de llorar un poco si uno se ha dejado domesticar.

XXVI

Había al lado del pozo la ruina de un viejo muro de piedra. Cuando volví de mi trabajo, la tarde del día siguiente, vi a lo lejos a mi principito, sentado en lo alto con las piernas colgando. Y oí que hablaba:

—¿Tú no te acuerdas entonces? —decía—. ¡No es precisamente aquí!

Otra voz le respondió, sin duda, porque replicó:

—¡Sí! ¡Sí! En efecto; es el día, pero no es aquí el lugar...

Proseguí mi camino hacia el muro. Aún no veía ni oía a nadie. Sin embargo, el principito replicó de nuevo:

—...Seguramente. Verás dónde comienza mi huella en la arena. Tú no tienes más que esperarme. Estaré ahí esta noche.

Yo estaba a veinte metros del muro, y todavía no veía a nadie.

El principito dijo otra vez, después de un silencio:

—¿Tienes buen veneno? ¿Estás segura de no hacerme sufrir mucho tiempo?

Hice alto, el corazón oprimido, pero aún no comprendía.

—Ahora vete —le dijo—...; ¡quiero bajarme!

Entonces bajé los ojos hacia el pie del muro, ¡y di un salto! Irguiéndose hacia el principito estaba allí una de esas serpientes amarillas, que os ejecutan en treinta segundos. Mientras registraba la bolsa para sacar mi revólver, apreté el paso, pero, con el ruido que hice, la serpiente se dejó resbalar dulcemente en la

Ahora vete —le dijo—. . .; ¡quiero bajarme!. . .

arena, como un surtidor de agua que muere, y, sin correr demasiado, se deslizó entre las piedras, con un ligero ruido metálico.

Llegué al muro justo a tiempo para recibir en los brazos a mi buen principito, pálido como la nieve.

—¡Qué historia es ésta! ¡Hablas ahora con las serpientes!

Le desaté su eterna bufanda de oro. Le había mojado las sienes y le había hecho beber. Y ahora no me atrevía a preguntarle nada. Me miró con gravedad y rodeó mi cuello con sus brazos. Sentí latir su corazón como el de un pájaro que muere cuando se le ha disparado con la escopeta. Me dijo:

—Estoy contento de que hayas encontrado lo que le faltaba a tu máquina. Vas a poder volver a tu casa...

—¡Cómo lo sabes!

¡Venía justamente a anunciarle que, contra toda esperanza, había tenido éxito en mi trabajo!

No respondió nada a mi pregunta, pero añadió:

—También yo vuelvo hoy a mi casa...

Después, melancólico:

—Está mucho más lejos... Es mucho más difícil...

Sentí que pasaba alguna cosa extraordinaria. Lo estreché en los brazos, como a un niño pequeño, y, sin embargo, me parecía que resbalaba verticalmente por un abismo, sin que yo pudiera hacer nada para retenerlo...

Tenía la mirada seria, perdida muy lejos:

—Tengo tu borrego. Y tengo la caja para el borrego. Y tengo el bozal...

Y sonrió con melancolía.

Esperé largo rato. Sentía que se reanimaba poco a poco:

—Pequeño hombrecito, tú has tenido miedo...

¡Ciertamente que había tenido miedo! Pero rió dulcemente:

—Tendré más miedo esta noche...

De nuevo me sentí helado por el sentimiento de lo irreparable. Y comprendí que no soportaba la idea de no oír más aquella risa. Ésta era para mí como una fuente en el desierto.

—Pequeño buen hombrecito, quiero todavía oírte reír...

Pero me dijo:

—Esta noche hará un año. Mi estrella se encontrará justamente arriba del lugar donde yo caí el año anterior.

—Pequeño buen hombrecito, ¿verdad que no es más que un mal sueño esta historia de la serpiente, de la cita, y de la estrella...?

Pero no respondió a mi pregunta. Me dijo:

—Lo que es importante no se ve...

—Seguramente...

—Es como con la flor. Si tú amas a una flor que se encuentra en una estrella, es dulce en la noche mirar al cielo. Todas las estrellas están floridas.

—Seguramente...

—Es como con el agua. La que tú me has dado a beber era como una música a causa de la polea y de la cuerda..., tú te acuerdas...; era buena.

—Seguramente...

—Mirarás la noche, las estrellas. Es demasiado pequeño donde yo vivo para que te muestre dónde se encuentra la mía. Es mejor así. Mi estrella será para ti una de esas estrellas. Entonces te gustará contemplar todas las estrellas... Todas serán tus amigas. Y después yo voy a hacerte un regalo...

Se rió de nuevo.

—¡Ah!, pequeño buen hombrecito, pequeño buen hombrecito, ¡me gusta oír esa risa!

—Precisamente ése será mi regalo...; eso será como con el agua...

—¿Qué quieres decir?

—Las gentes tienen estrellas que no son las mismas. Para algunos que viajan las estrellas son guías. Para otros no son más que pequeñas luces. Para otros, que son sabios, son problemas. Para mi hombre de negocios eran oro. Pero todas esas estrellas callan. Tú tendrás estrellas como nadie ha tenido...

—¿Qué quieres decir?

—Cuando veas el cielo, la noche, puesto que yo viviré en una de ellas, puesto que yo reiré en una de ellas, eso será para ti como si rieran todas las estrellas. ¡Tú tendrás estrellas que saben reír!

Y él rió otra vez.

—Y cuando ya estés consolado (uno se consuela siempre), estarás contento de haberme conocido. Serás siempre mi amigo. Desearás reír conmigo y abrirás a veces tu ventana, sin más, por placer... Y tus amigos se asombrarán mucho de verte reír mirando al cielo. Entonces les dirás: "Sí, ¡las estrellas me hacen reír siempre!" Te creerán loco. Te habré jugado una mala broma...

Y se rió otra vez.

—Eso será como si yo te hubiera dado, en lugar de estrellas, pequeños cascabeles que saben reír...

Y otra vez se rió. Después se puso serio:

—Esta noche..., sabes..., no vengas.

—Yo no me separaré de ti.

—Parecerá que me pongo mal. Parecerá que voy a morir. Es así. No vengas a ver eso, no vale la pena...

—No te abandonaré.

Pero él estaba preocupado.

—Yo te digo eso..., es también a causa de la serpiente. No debe morderte... La serpiente es mala. Puede morder por placer...

—Yo no te abandonaré.

Pero algo lo tranquilizó:

—Es cierto que no tienen ya veneno para la segunda mordida...

Esa noche no lo vi ponerse en camino. Se había ido sin ruido. Cuando logré alcanzarlo, caminaba decidido, con paso rápido. Me dijo solamente:

—¡Ah!, estás aquí...

Y me tomó de la mano. Pero se angustió otra vez:

—No tuviste razón. Tendrás pena; parecerá como si estuviera muerto y no será verdad...

Yo callé.

—Comprendes. Está demasiado lejos. Yo no puedo llevar ese cuerpo allí. Es demasiado pesado.

Yo callé.

—Pero eso será como una vieja cáscara abandonada. No son tristes las viejas cáscaras...

Yo callé.

Él se descorazonó un poco. Mas hizo todavía un esfuerzo:

—Será bonito, sabes. También yo miraré las estrellas. Todas las estrellas serán como pozos con una polea mohosa. Todas las estrellas me darán de beber...

Callé.

—¡Será tan divertido! Tú tendrás quinientos millones de cascabeles, yo tendré quinientos millones de fuentes...

Calló también, porque lloraba...

—Está allá. Déjame dar un paso yo solo.

Y se sentó porque tenía miedo.

Dijo todavía:

—Sabes..., mi flor... ¡Yo soy responsable de ella! ¡Es tan débil! Es tan ingenua. Tiene cuatro espinas que no valen de nada para protegerla contra el mundo...

Me senté porque no podía mantenerme más de pie.

Dijo:

—Bien..., esto es todo...

Titubeó todavía un poco, después se levantó. Dio un paso. Yo no podía moverme.

No hubo más que un rayo amarillo cerca de su tobillo. Se quedó un instante inmóvil. No gritó. Cayó dulcemente, como cae un árbol. Ni siquiera hizo ruido, a causa de la arena.

XXVII

Y ahora, en verdad, hace ya seis años... Aún no he contado nunca esta historia. Los compañeros que me han visto de nuevo están contentos de verme con vida. Estaba triste pero les decía: Es la fatiga...

Ahora me siento un poco consolado. Es decir... no del todo. Pero sé muy bien que regresó a su planeta, porque al levantarse el día no encontré su cuerpo. No era un cuerpo tan pesado... Y me gusta en la noche escuchar las estrellas. Son como quinientos millones de cascabeles...

Pero he aquí que sucede algo extraordinario.

¡Al bozal que había dibujo para el principito me había olvidado de añadirle la correa de cuero! No habrá jamás podido ponérselo al borrego. Me pregunto entonces: "¿Qué pasará en su planeta? Bien puede ser que el borrego haya comido la flor..."

A veces me digo: "¡Seguramente que no! El principito encierra su flor todas las noches bajo su campana de vidrio, y vigila muy bien a su borrego. . ." Entonces soy feliz. Y todas las estrellas ríen dulcemente.

Algunas veces me digo: "¡Uno se distrae una y otra vez, y eso basta! Ha olvidado una noche la campana de vidrio, o bien el borrego salió sin ruido durante la noche. . ." Entonces todos los cascabeles se convierten en lágrimas. . .

He ahí un gran misterio. Para vosotros, que también amáis al principito, como para mí, no hay nada semejante en el universo si en alguna parte, no se sabe dónde, un borrego, que nosotros no conocemos, ha comido, o no, una rosa. . .

Mirad el cielo. Preguntaos: ¿El borrego ha comido, o no, la flor? Y veréis cómo todo cambia. . .

¡Y ninguna persona mayor comprenderá nunca que eso realmente tenga importancia!

Y cayó dulcemente, como cae un árbol

Éste es, para mí, el más bello y el más triste paisaje del mundo. Es el mismo paisaje de la página que precede, pero lo he dibujado una vez más para mostrároslo bien. Es aquí donde el principito ha aparecido sobre la Tierra; después desapareció.

Mirad atentamente este paisaje a fin de estar seguros de reconocerlo si viajáis un día al África, en el desierto. Y si os ocurre pasar por allí, os suplico no os apresuréis, ¡esperad un poco justo bajo la estrella! Si entonces un niño viene a vosotros, si se ríe, si tiene los cabellos de oro, si no responde cuando se le interroga, adivinaréis bien que es él. ¡Entonces sed gentiles! No me dejéis tan triste: escribidme pronto que él ha vuelto...

Esta obra se terminó de imprimir y encuadernar
el 15 de julio de 2020 en los talleres
Castellanos Impresión, SA de CV,
Ganaderos 149, col. Granjas Esmeralda,
09810, Iztapalapa, Ciudad de México